sais-tu comment naissent les enfants ?

Texte de G. Fagerström et G. Hansson
Illustrations de G. Hansson

casterman

Préface

Expliquer la sexualité aux enfants, tous les parents en connaissent la difficulté. Vaincre sa gêne, éviter les mots trop savants et surtout ne pas mentir, voilà qui n'est pas facile. Ce livre tout simple et amusant rendra bien service aux adultes.
Jean et Julie (5 et 8 ans) vivent avec leurs parents. L'arrivée d'une petite sœur bouleverse leur vie quotidienne, et ils posent avant, pendant et après la naissance une quantité de questions sur la sexualité et la reproduction, auxquelles le père et la mère répondent avec clarté et naturel. Respectueux de la maturité psychologique de leurs enfants, ils attendent que les questions s'expriment et ne les éludent jamais. Les enfants sont satisfaits des réponses, mais il ne faudrait pas s'étonner de les entendre réitérer leur demande. Vivant dans l'instant présent, ils n'y attachent pas la même importance que les adultes, il faut simplement leur répondre à chaque occasion. Pour parler des parties du corps et de leurs fonctions, les mots justes sont employés ici ; apprendre à utiliser les mots vagin, pénis, règles, éjaculation, aidera les enfants à grandir sans culpabilité. Il leur faut comprendre aussi la nature des liens qui les unissent à leurs parents et qui unissent leurs parents entre eux ; dans ce petit livre, les parents vivant librement leurs rapports sexuels, peuvent en parler avec simplicité. Toutefois, la famille présentée ici ne vit pas sur un petit nuage rose, elle a les soucis et les difficultés de la vie quotidienne ; si la naissance du bébé est envisagée avec joie, on ne dissimule pas les inconvénients qui l'accompagnent : problèmes d'argent, fatigue, mauvaise humeur alternent avec les explosions d'allégresse.
Le jeune lecteur s'y reconnaîtra facilement. Cette famille citadine où le partage des tâches domestiques semble acquis, ne vit pas isolée ; les voisins participent à l'éducation sexuelle par l'évocation qui est fait de leur mode de vie différent : mère célibataire, père divorcé avec enfant, couple stérile qui va adopter un bébé... Enfin, quelle bonne idée d'avoir utilisé le genre de la bande dessinée ! Les enfants y sont très sensibles. Ils s'identifieront sans peine à ces personnages croqués avec humour. Réalistes, ni trop beaux ni tristement laids, ils sont de toute façon vivants et modernes. Pour le Mouvement Français pour le Planning Familial, heureux de préfacer ce petit livre, l'information sexuelle, qui fait partie de la vie quotidienne, doit être simple, claire et respectueuse de l'autre, enfant ou adulte.

Mouvement Français pour le planning familial

Titre de l'édition originale : PER, IDA & MINIMUM.

ISBN 91-42-02458-7.

ISBN 2-203-14205-7.

Sommaire

JEAN VEUT UN AUTRE CROISSANT, ALORS QU'IL N'A MÊME PAS TERMINÉ CELUI QU'IL MANGE !
JULIE, CESSE DE FAIRE DU BRUIT AVEC CETTE CHAISE ! JEAN, ASSIEDS-TOI ET FINIS DE MANGER ! QUEL DÉSORDRE ICI !
JE NE PEUX PAS MANGER. JE N'AI PAS ENVIE !
LES ENFANTS, EST-CE QU'IL EST IMPOSSIBLE D'AVOIR UN MOMENT DE TRANQUILLITÉ QUAND ON EST À TABLE ?
LIVRES
FLEURS
ANTIQUITÉS
18
TABAC
BERNARD, ODILE, JULIE ET JEAN DULAC HABITENT AU DERNIER ÉTAGE, DANS CET IMMEUBLE. LEUR APPARTEMENT COMPORTE QUATRE PIÈCES PLUS LA CUISINE ET LA SALLE DE BAINS. JULIE, 8 ANS, EST EN TROISIÈME ANNÉE. JEAN, BIENTÔT 5 ANS, VA ENCORE À L'ÉCOLE MATERNELLE. LEUR MAMAN S'APPELLE ODILE, LEUR PAPA BERNARD. LA FAMILLE NE SERAIT PAS COMPLÈTE SANS LE CHAT ALPHONSE. UN JOUR D'ÉTÉ, ILS SONT À TABLE ...

Qu'est-ce qu'elle a, maman ?

QU'EST-CE QUI SE PASSE ?
VOUS FAITES TROP DE BRUIT ET TROP DE DÉSORDRE. IL FAUT ABSOLUMENT ESSAYER D'ÊTRE PLUS CALMES POUR NE PAS FATIGUER MAMAN QUI ATTEND UN BÉBÉ.

QU'EST-CE QUE ÇA VEUT DIRE "QUI ATTEND UN BÉBÉ" ?
TOUT SIMPLEMENT QUE VOUS AUREZ BIENTÔT UN PETIT FRÈRE, OU UNE PETITE SOEUR.
C'EST POUR ÇA QUE TU ES SI NERVEUSE, MAMAN ?

JE NE SUIS PAS NERVEUSE, JE SUIS SEULEMENT FATIGUÉE, ET LE BRUIT ME DÉRANGE.
JE VOUDRAIS AVOIR UNE PETITE SŒUR.
MAIS, IL EST OÙ, POUR L'INSTANT, LE PETIT FRÈRE ?

MOI JE SAIS ! IL EST DANS LE VENTRE DE MAMAN !
C'EST VRAI, PAPA ?

OUI, MAIS IL FAUDRA PATIENTER UN PEU AVANT QU'IL N'ARRIVE. IL NAÎTRA AU PRINTEMPS.
IL Y A COMBIEN DE JOURS JUSQU'AU PRINTEMPS ?

AOUT
IL FAUT ENCORE ATTENDRE PRÈS DE 7 MOIS, SOIT 200 JOURS ENVIRON.

QUI A DIT QU'ON DEVAIT AVOIR UN FRÈRE OU UNE SOEUR ?
NOUS L'AVONS DÉCIDÉ ENSEMBLE, PAPA ET MOI !
LE BÉBÉ, IL DORMIRA DANS NOTRE CHAMBRE ?

NOUS PENSONS L'INSTALLER DANS LA CHAMBRETTE PRÈS DE LA CUISINE. VOTRE CHAMBRE, ON VA LA DIVISER EN DEUX, AVEC UNE CLOISON DE SÉPARATION. AINSI, VOUS AUREZ CHACUN UNE CHAMBRE BIEN À VOUS.

YOUPI ! ON A CHACUN SA CHAMBRE !
ON POURRAIT PERCER UNE OUVERTURE DANS LA CLOISON POUR POUVOIR REGARDER L'UN CHEZ L'AUTRE.

TROIS ENFANTS, ÇA DONNE BEAUCOUP DE TRAVAIL, ET ÇA COÛTE ENCORE PLUS !

JE T'AIDERAI A DONNER LE BAIN DE BÉBÉ.
BIEN SÛR, S'IL Y A DE LA PLACE.
JE POURRAI LE CONDUIRE A LA CRÈCHE.

PLUS TARD...
TU NOUS DONNES LA CLEF DU GRENIER, S'IL TE PLAÎT ?

LES ENFANTS MONTENT AU GRENIER...
IL FAUDRAIT QU'ON INSTALLE UNE LAMPE ICI !
EH ! ATTENDS-MOI !

LE GRENIER EST PLEIN DE "VIEUX" OBJETS, DONT UNE GRANDE BOÎTE SUR LAQUELLE EST ÉCRIT "**JULIE ET JEAN.**"

Comment sommes-nous faits ?

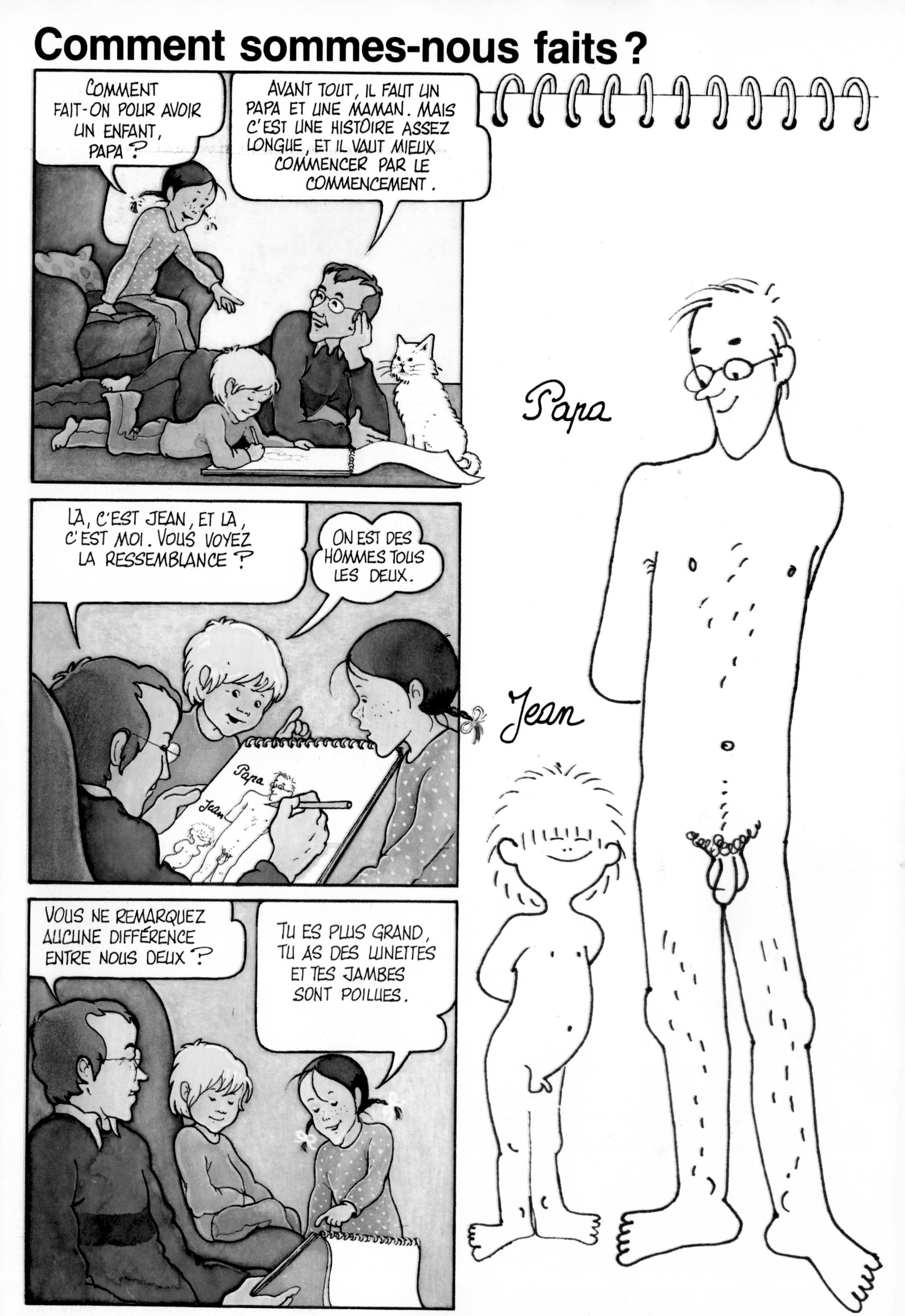

DEDANS, IL Y A DEUX BOULES. UN JOUR, JE LES AI TÂTÉES, ET JE LES AI SENTIES.

CES DEUX BOULES S'APPELLENT DES TESTICULES : CE SONT DEUX GLANDES QUI PRODUISENT ET CONTIENNENT DES MILLIONS DE CELLULES, LES SPERMATOZOÏDES. CEUX-CI SONT SI PETITS, QU'ON NE PEUT LES VOIR QU'AU MICROSCOPE.

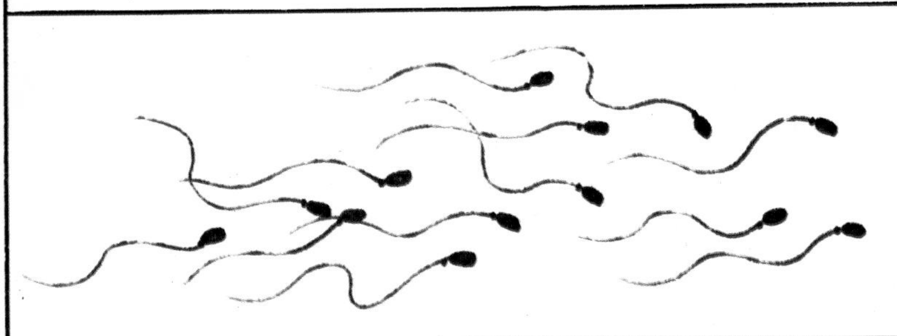

LORSQUE LES TESTICULES COMMENCENT À PRODUIRE DES SPERMATOZOÏDES, L'HOMME PEUT DEVENIR PÈRE. CHAQUE SPERMATOZOÏDE POSSÈDE UNE LONGUE QUEUE QUI LUI PERMET DE SE DÉPLACER. LES SPERMATOZOÏDES SONT EXPULSÉS PAR LE PÉNIS, DANS UN LIQUIDE ÉPAIS APPELÉ SPERME.

JULIE DESSINE SON PORTRAIT, ET PAPA DESSINE CELUI DE MAMAN.
TU TROUVES QUE C'EST RESSEMBLANT ?
CERTAINEMENT ! NOUS AVONS TOUTES LES DEUX DES YEUX FONCÉS ET DES CHEVEUX LONGS.
NE VOIS-TU AUCUNE DIFFÉRENCE ENTRE TOI ET MOI ?
TU AS DE GROS SEINS, ET DES POILS SUR LE BAS DU VENTRE.
MES SEINS À MOI SONT AUSSI GROS QUE CEUX DE JULIE !
LES MIENS SERONT PLUS GROS QUE LES TIENS QUAND JE SERAI GRANDE.
Maman
Julie

C'EST EXACT : EN FAIT, CE SONT LES GLANDES QUI SE DÉVELOPPERONT, CELLES QUI DONNERONT DU LAIT QUAND TU AURAS UN ENFANT.

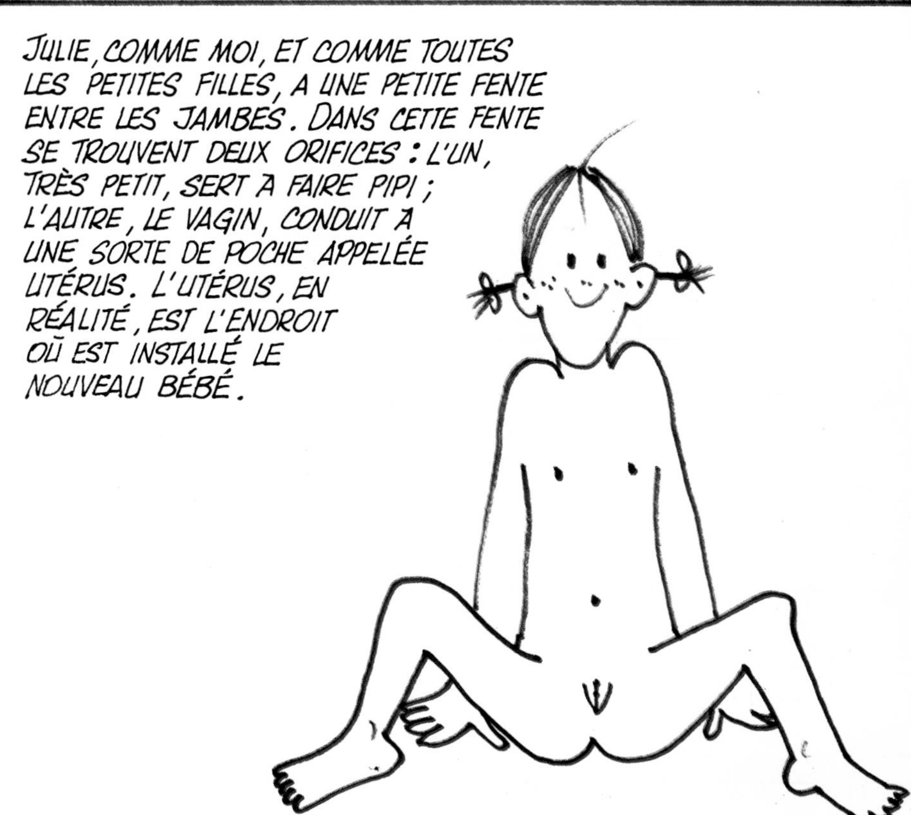
ET MAMAN EXPLIQUE ...
JULIE, COMME MOI, ET COMME TOUTES LES PETITES FILLES, A UNE PETITE FENTE ENTRE LES JAMBES. DANS CETTE FENTE SE TROUVENT DEUX ORIFICES : L'UN, TRÈS PETIT, SERT A FAIRE PIPI ; L'AUTRE, LE VAGIN, CONDUIT A UNE SORTE DE POCHE APPELÉE UTÉRUS. L'UTÉRUS, EN RÉALITÉ, EST L'ENDROIT OÙ EST INSTALLÉ LE NOUVEAU BÉBÉ.

LE BÉBÉ RESTE DANS L'UTÉRUS DE LA MAMAN JUSQU'AU MOMENT DE LA NAISSANCE. QUAND IL EST PRÊT A NAÎTRE, IL PASSE PAR LE VAGIN, ET SORT.
Maman

SUR LES CÔTÉS DE L'UTÉRUS SE SITUENT LES OVAIRES CONTENANT LES OVULES, C'EST-À-DIRE LES CELLULES A PARTIR DESQUELLES SE DÉVELOPPE LE BÉBÉ.

VOICI LE DESSIN D'UN OVULE VU AU MICROSCOPE.

J'AI AUSSI DES OVAIRES, MOI ?
BIEN SÛR, MAIS POUR LE MOMENT, ILS NE SONT PAS ENCORE EN ÉTAT DE FAIRE QUOI QUE CE SOIT. VERS 12 ANS, TU AURAS TES PREMIÈRES RÈGLES, ET CELA SIGNIFIERA QUE TES OVAIRES AURONT COMMENCÉ À FONCTIONNER.
LES FILLES N'ONT PAS DE RÈGLES COMME LES FEMMES ?
JE N'AI PAS DU TOUT ENVIE D'AVOIR DES RÈGLES !

CE N'EST PAS GÊNANT DU TOUT, TU SAIS. UNE FOIS PAR MOIS, TU PERDS UN PEU DE SANG PAR LE VAGIN, MAIS CELA NE DURE QUE DEUX OU TROIS JOURS. POUR ÉVITER DE FAIRE DES TACHES SUR LE LINGE, ON UTILISE DES PROTECTIONS ABSORBANTES, SOIT EXTERNES, SEMBLABLES À DES SERVIETTES, SOIT INTERNES QU'ON INTRODUIT DANS LE VAGIN.
PROTECTIONS PÉRIODIQUES ABSORBANTES

JEAN ! OÙ VAS-TU AVEC CE ROULEAU DE PAPIER ?
JE VAIS FAIRE MON PORTRAIT DANS MA CHAMBRE.

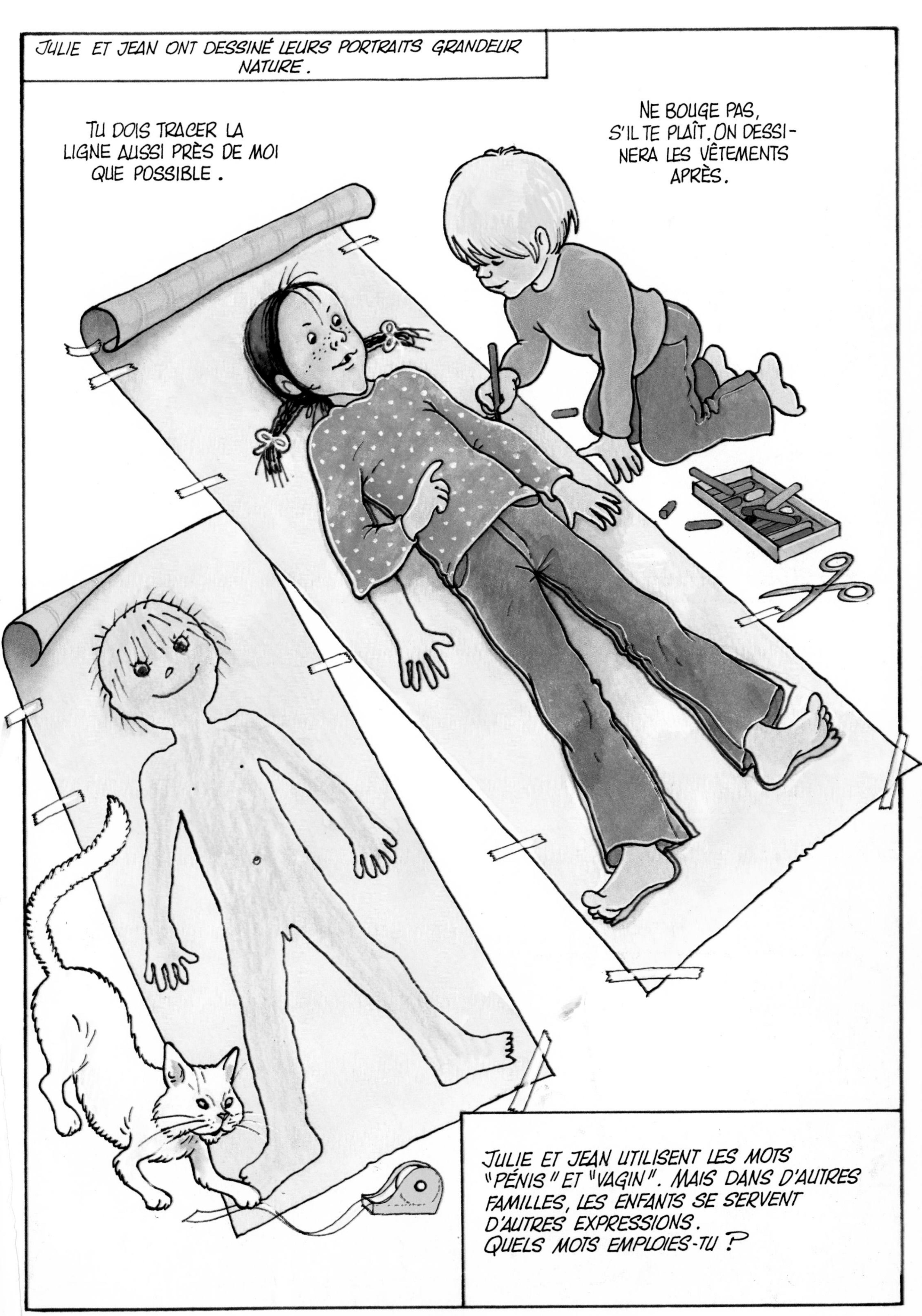
JULIE ET JEAN ONT DESSINÉ LEURS PORTRAITS GRANDEUR NATURE.
TU DOIS TRACER LA LIGNE AUSSI PRÈS DE MOI QUE POSSIBLE.
NE BOUGE PAS, S'IL TE PLAÎT. ON DESSINERA LES VÊTEMENTS APRÈS.
JULIE ET JEAN UTILISENT LES MOTS "PÉNIS" ET "VAGIN". MAIS DANS D'AUTRES FAMILLES, LES ENFANTS SE SERVENT D'AUTRES EXPRESSIONS. QUELS MOTS EMPLOIES-TU ?

Être ensemble

MON PÉNIS DEVIENT PLUS GROS ET SE REDRESSE.

MAIS LE MIEN AUSSI SE REDRESSE PARFOIS.
CELA ARRIVE DE TEMPS À AUTRE À TOUS LES GARÇONS.

QUAND NOUS FAISONS L'AMOUR, J'AI ENVIE QUE PAPA INTRODUISE SON PÉNIS DANS MON VAGIN.
ET PAPA, IL A ENVIE, LUI ?

BIEN SÛR ! ON EN A TRÈS ENVIE TOUS LES DEUX, ET ON EN ÉPROUVE UNE GRANDE JOIE : CELA FAIT PLAISIR.

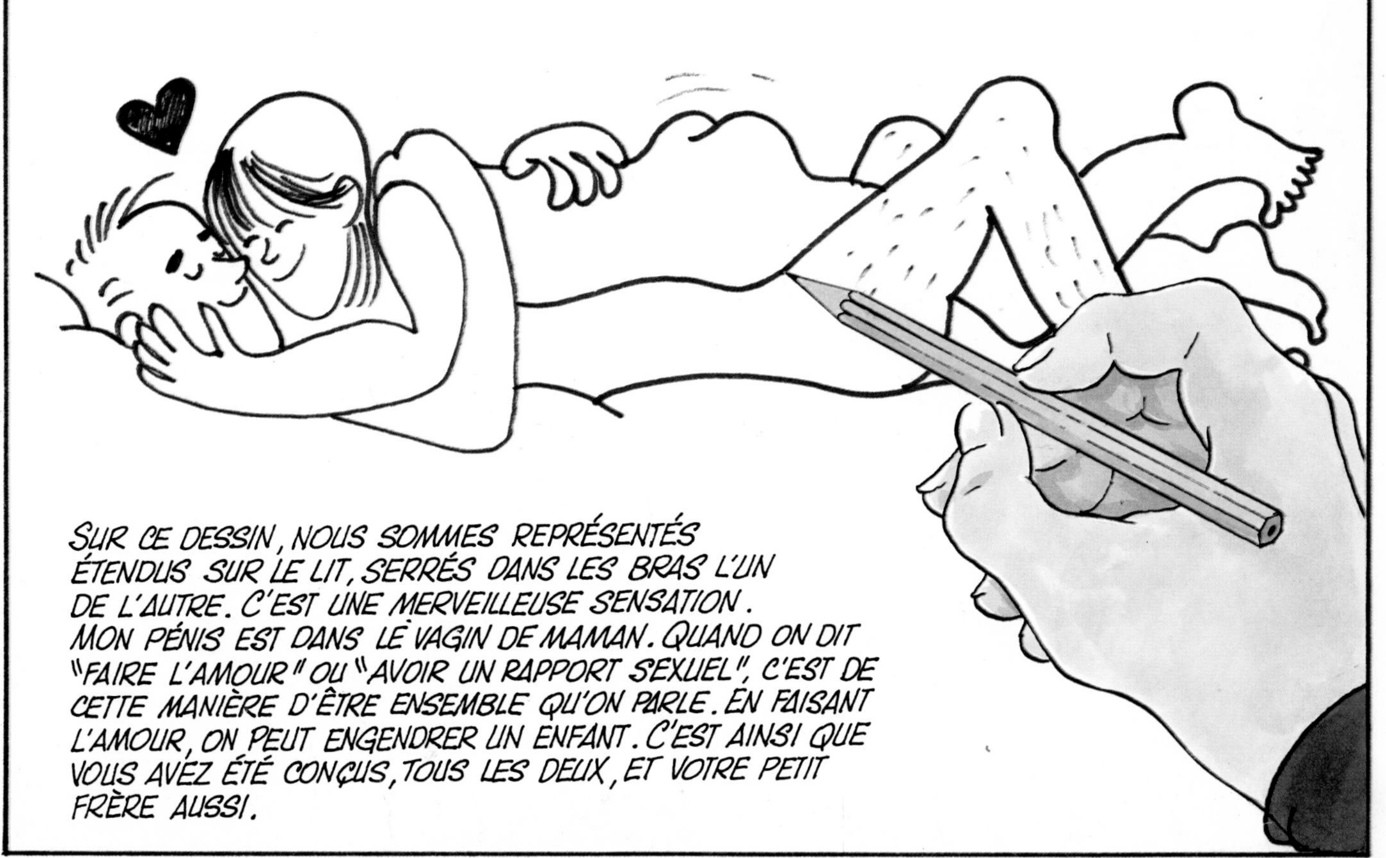
SUR CE DESSIN, NOUS SOMMES REPRÉSENTÉS ÉTENDUS SUR LE LIT, SERRÉS DANS LES BRAS L'UN DE L'AUTRE. C'EST UNE MERVEILLEUSE SENSATION. MON PÉNIS EST DANS LE VAGIN DE MAMAN. QUAND ON DIT "FAIRE L'AMOUR" OU "AVOIR UN RAPPORT SEXUEL", C'EST DE CETTE MANIÈRE D'ÊTRE ENSEMBLE QU'ON PARLE. EN FAISANT L'AMOUR, ON PEUT ENGENDRER UN ENFANT. C'EST AINSI QUE VOUS AVEZ ÉTÉ CONÇUS, TOUS LES DEUX, ET VOTRE PETIT FRÈRE AUSSI.

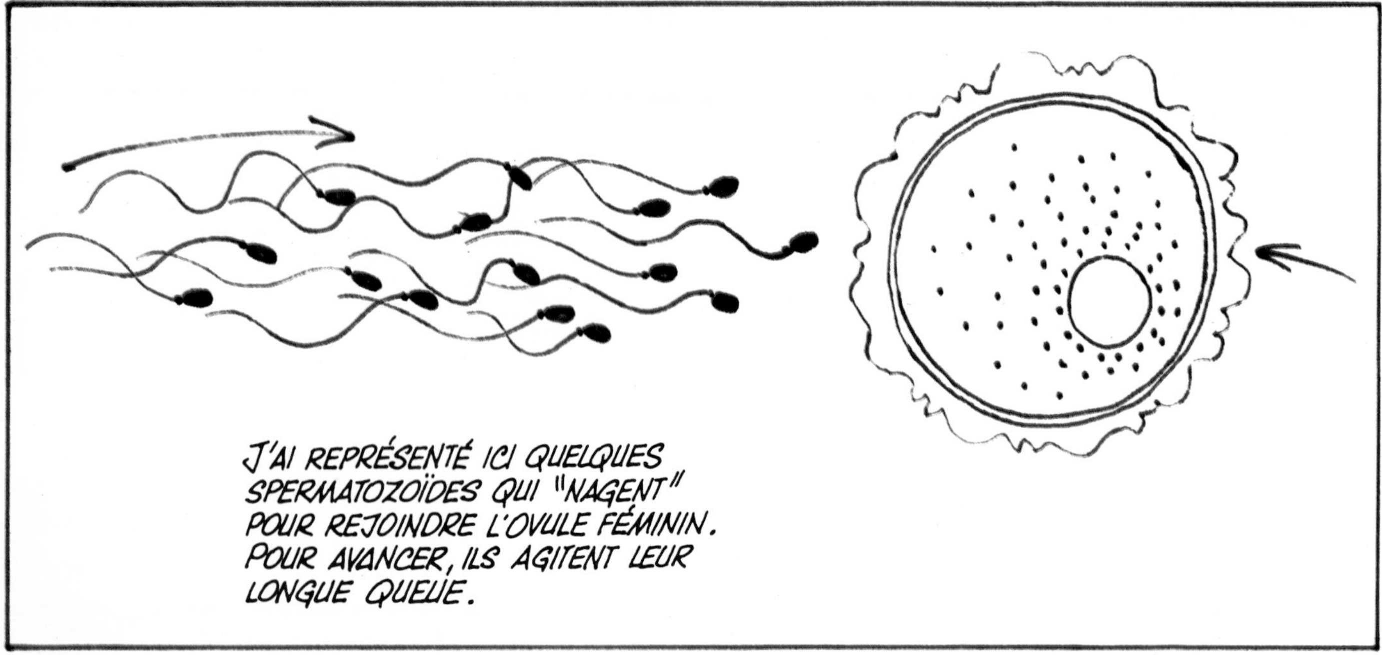

FINALEMENT, UN SPERMATOZOÏDE ATTEINT L'OVULE ET PÉNÈTRE DANS CELUI-CI. À CE MOMENT, L'OVULE COMMENCE À SE SUBDIVISER, DONNANT VIE À DE NOUVELLES CELLULES QUI SERONT LES PREMIÈRES DU BÉBÉ. MAIS ON NE SAIT PAS ENCORE SI CE SERA UN GARÇON OU UNE FILLE : POUR LE DÉCOUVRIR, IL FAUDRA ATTENDRE QU'IL NAISSE.

LA NOUVELLE CELLULE, QUI À CE STADE DE SON DÉVELOPPEMENT, N'EST GUÈRE PLUS GROSSE QU'UN MINUSCULE POINT, SE FIXE SUR L'UTÉRUS DE LA MAMAN ET COMMENCE À GRANDIR.
CHACUN DE NOUS A ÉTÉ AINSI UN POINT MINUSCULE, CAR NOUS AVONS TOUS ÉTÉ FABRIQUÉS DE LA MÊME MANIÈRE.
C'EST RIGOLO ! TU AS ÉTÉ TOUT PETIT, COMME UN TOUT PETIT POINT !
QUE CROIS-TU ? TOI AUSSI !

QU'EST-CE QU'IL FAIT MAINTENANT, LE BÉBÉ ?
RIEN DU TOUT. IL VA RESTER DANS L'UTÉRUS DE MAMAN, ET GRANDIR JUSQU'AU MOMENT DE NAÎTRE, AU PRINTEMPS.
ALLONS ! IL EST L'HEURE POUR MES DEUX "MINUSCULES PETITS POINTS" TROP VITE GRANDIS, DE PRENDRE UN BON BAIN. REGARDEZ : MÊME ALPHONSE SE LAVE SOIGNEUSEMENT.
J'ESPÈRE QU'IL NE FAUT PAS ME LAVER LES CHEVEUX !

REGARDEZ ! DANS DEUX MOIS, JE SERAI TROP GROSSE POUR ENTRER DANS TOUS MES VÊTEMENTS.
OÙ IL EST, LE BÉBÉ ?
LÀ, À L'INTÉRIEUR, C'EST L'UTÉRUS, ET LE BÉBÉ SE TROUVE DANS L'UTÉRUS.
EH ! JE NE VOIS RIEN, MOI !

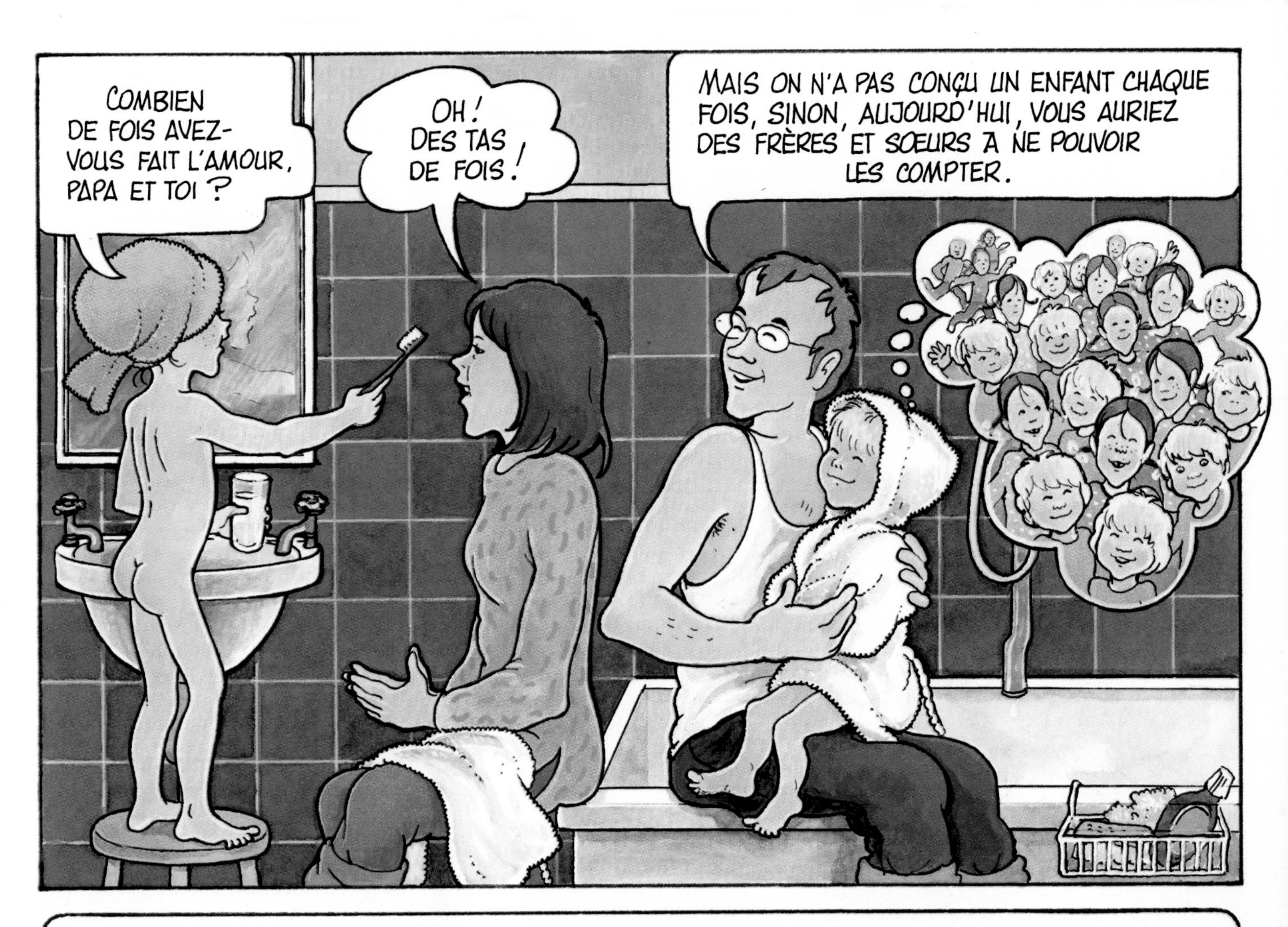
COMBIEN DE FOIS AVEZ-VOUS FAIT L'AMOUR, PAPA ET TOI ?
OH ! DES TAS DE FOIS !
MAIS ON N'A PAS CONÇU UN ENFANT CHAQUE FOIS, SINON, AUJOURD'HUI, VOUS AURIEZ DES FRÈRES ET SOEURS À NE POUVOIR LES COMPTER.

L'ENFANT N'EST CONÇU QUE LORSQUE LE SPERMATOZOÏDE RENCONTRE L'OVULE ET PÉNÈTRE DEDANS, DONNANT AINSI NAISSANCE À UNE NOUVELLE CELLULE QUI S'IMPLANTE DANS L'UTÉRUS, ET S'Y ACCROCHE. MAIS IL EXISTE DIVERSES MÉTHODES CONTRACEPTIVES QUI EMPÊCHENT LE SPERMATOZOÏDE DE RENCONTRER L'OVULE.

DE CETTE MANIÈRE, PAPA ET MOI, NOUS AVONS FAIT L'AMOUR TRÈS SOUVENT SANS AVOIR UN ENFANT QUE NOUS N'AURIONS PAS DÉSIRÉ.

COMMENT T'ES-TU RENDU COMPTE QUE TU AVAIS UN BÉBÉ DANS LE VENTRE ?
JE PEUX LE SENTIR ?

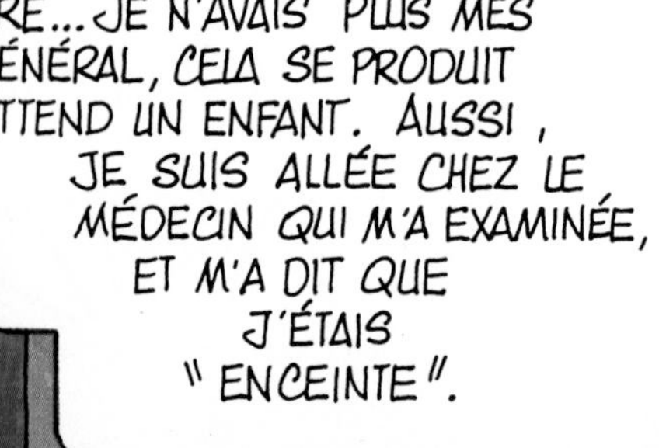
NON, JEAN, PAS ENCORE... JE N'AVAIS PLUS MES RÈGLES, JULIE. EN GÉNÉRAL, CELA SE PRODUIT QUAND UNE FEMME ATTEND UN ENFANT. AUSSI, JE SUIS ALLÉE CHEZ LE MÉDECIN QUI M'A EXAMINÉE, ET M'A DIT QUE J'ÉTAIS " ENCEINTE ".

J'ÉTAIS TRÈS CONTENTE ET, LE SOIR, QUAND PAPA EST RENTRÉ, NOUS AVONS FÊTÉ L'ÉVÈNEMENT !
POURQUOI ON N'A PAS PU LE FÊTER, NOUS ?
ET QU'EST-CE QUE TU AS FAIT, ALORS ?
PARCE QU'IL ÉTAIT TARD, ET QUE VOUS DORMIEZ DÉJÀ !

Qui habite au numéro 18 ?

MICHEL ET MARGUERITE CHARLIER HABITENT L'APPARTEMENT VOISIN DE CELUI DE JEAN ET JULIE. ILS DORMENT ENCORE, MAIS BOBBY, LEUR CHIEN, EST DÉJÀ RÉVEILLÉ.

SIMONE A 9 ANS. ELLE VIT AU TROISIÈME ÉTAGE AVEC SON PÈRE. CE MATIN, SIMONE A PRÉPARÉ LE CAFÉ.

AU SECOND, HABITENT CAROLINE ET SA MÈRE. AUJOURD'HUI, C'EST L'ANNIVERSAIRE DE CAROLINE QUI FÊTE SES 6 ANS.

ET VOICI LA FAMILLE CHAPOUTAY. EMILIE ET BRUNO, LES JUMEAUX, SONT DANS LA MÊME CLASSE QUE JULIE. ANTOINE EST L'AMI DE JEAN. LA FAMILLE CHAPOUTAY, QUI OCCUPE LE PREMIER ÉTAGE, SE COMPOSE, EN PLUS DES JUMEAUX ET D'ANTOINE, DE LA PETITE SOPHIE, DU PAPA, DE LA MAMAN ET DE LA GRAND-MÈRE.

LES ENFANTS JOUENT DANS LA COUR DE L'IMMEUBLE. ET TOI, OÙ JOUES-TU ?
ET TES AMIS, OÙ HABITENT-ILS ?

Comment est le bébé ?

CECI EST UN EMBRYON. CE MOT DÉSIGNE LE BÉBÉ QUAND IL COMMENCE À SE DÉVELOPPER. À 10 SEMAINES, IL EST GROS COMME UNE BOBINE DE FIL. ENSUITE, ON L'APPELLE FOETUS.

JULIE ET JEAN EXAMINENT ATTENTIVEMENT LE DESSIN.

CINQ MOIS ONT PASSÉ. MAMAN A BEAUCOUP CHANGÉ.

TU VEUX UN NOUVEAU CHAPEAU POUR NOËL ?
J'AURAIS PLUTÔT BESOIN D'UN NOUVEAU PANTALON !

24
C'EST NOËL !
OOOH ! LES ENFANTS ! NE VOUS PRÉCIPITEZ PAS COMME ÇA !
HIER, IL M'A FRAPPÉE QUAND J'AI POSÉ MON OREILLE SUR MAMAN !
EHO ! TOI LA DEDANS, JOYEUX NOËL A TOI AUSSI !

LE BÉBÉ, IL AIME BIEN ÊTRE DANS TON VENTRE ?
JE PENSE BIEN ! C'EST UN ENDROIT AGRÉABLE, REMPLI DE LIQUIDE TIÈDE. LE BÉBÉ EST BIEN PROTÉGÉ CONTRE LES CHOCS.

MAIS SI LE LIQUIDE S'EN VA ?

C'EST IMPOSSIBLE. IL EST CONTENU DANS UNE SORTE DE POCHE BIEN FERMÉE, QUI NE S'OUVRIRA QUE LORSQUE LE BÉBÉ SERA PRÊT A NAÎTRE.
MAIS C'EST COMMENT, DANS TON VENTRE ?

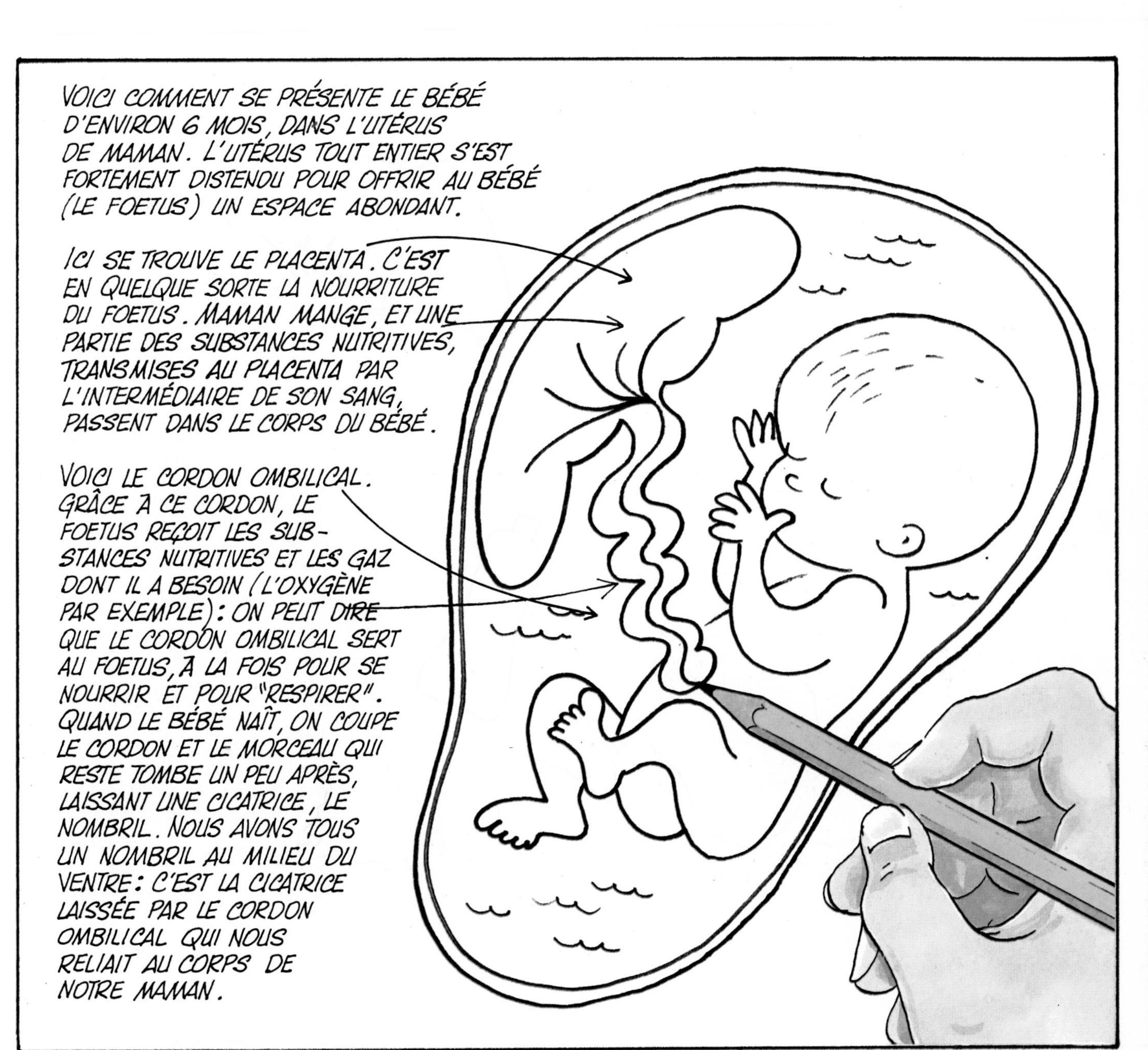
VOICI COMMENT SE PRÉSENTE LE BÉBÉ D'ENVIRON 6 MOIS, DANS L'UTÉRUS DE MAMAN. L'UTÉRUS TOUT ENTIER S'EST FORTEMENT DISTENDU POUR OFFRIR AU BÉBÉ (LE FOETUS) UN ESPACE ABONDANT.
ICI SE TROUVE LE PLACENTA. C'EST EN QUELQUE SORTE LA NOURRITURE DU FOETUS. MAMAN MANGE, ET UNE PARTIE DES SUBSTANCES NUTRITIVES, TRANSMISES AU PLACENTA PAR L'INTERMÉDIAIRE DE SON SANG, PASSENT DANS LE CORPS DU BÉBÉ.
VOICI LE CORDON OMBILICAL. GRÂCE À CE CORDON, LE FOETUS REÇOIT LES SUBSTANCES NUTRITIVES ET LES GAZ DONT IL A BESOIN (L'OXYGÈNE PAR EXEMPLE): ON PEUT DIRE QUE LE CORDON OMBILICAL SERT AU FOETUS, À LA FOIS POUR SE NOURRIR ET POUR "RESPIRER". QUAND LE BÉBÉ NAÎT, ON COUPE LE CORDON ET LE MORCEAU QUI RESTE TOMBE UN PEU APRÈS, LAISSANT UNE CICATRICE, LE NOMBRIL. NOUS AVONS TOUS UN NOMBRIL AU MILIEU DU VENTRE: C'EST LA CICATRICE LAISSÉE PAR LE CORDON OMBILICAL QUI NOUS RELIAIT AU CORPS DE NOTRE MAMAN.

MAIS IL NE FAIT JAMAIS CACA?
PARFOIS IL FAIT UN PETIT PIPI. ET TOUTES LES "VILAINES CHOSES" QU'IL DOIT ÉLIMINER PASSENT PAR LE CORDON.
TU NE VAS PAS CASSER, MAMAN, AVEC UN VENTRE PAREIL?

C'EST DUR DE LIVRER DES CHATS AVEC UN VENTRE GROS COMME ÇA !

Finalement le printemps est là ?

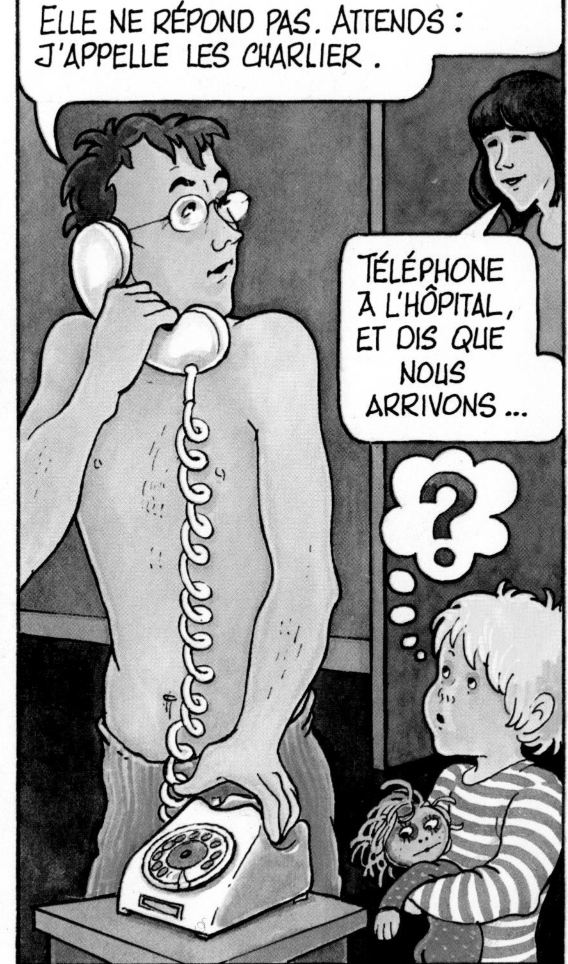

IL REMUE SANS ARRÊT COMME UN FOU.
COMMENT SAIS-TU QU'IL VA ARRIVER ?

UN PEU. AÏE ! OUI, ÇA FAIT MAL DE TEMPS EN TEMPS !
VIENS VITE, DÉPÊCHONS-NOUS !
TU AS MAL ?

LES CHARLIER S'OCCUPENT DE JULIE ET DE JEAN.
AU REVOIR ! ET BONNE CHANCE !
JE TÉLÉPHONERAI À GRAND-MÈRE DEPUIS L'HÔPITAL !
WAF ! WAF !
CALME, BOBBY !

JEAN VA CHERCHER JULIE À L'ÉCOLE AVEC GRAND-MÈRE.
BONJOUR, GRAND-MÈRE !

EH BIEN... MES GRANDS! VOUS AVEZ UNE PE-TI-TE-SOEUR! ELLE S'APPELLERA ADÉLAÏDE. ÇA VOUS PLAÎT?

DIS, MARGUERITE, POURQUOI TU N'AS PAS D'ENFANTS, TOI ?
MICHEL ET MOI, NOUS AURONS BIENTÔT UNE PETITE FILLE.
MAIS MARGUERITE, COMMENT SAIS-TU QUE CE SERA UNE FILLE ?

C'EST SIMPLE : NOUS ALLONS L'ADOPTER.
MARGUERITE VEUT DIRE QUE NOUS ALLONS AVOIR UN ENFANT QUE NOUS N'AVONS PAS FAIT EN FAISANT L'AMOUR. LES VRAIS PARENTS DE CETTE PETITE FILLE NE PEUVENT PAS S'EN OCCUPER.
QU'EST-CE QUE ÇA VEUT DIRE "L'ADOPTER" ?
C'EST CHOUETTE ! COMME ÇA, VOTRE PETITE FILLE POURRA JOUER AVEC NOTRE NOUVELLE PETITE SOEUR !

JULIE A PRÉPARÉ UNE LISTE DE CHOSES DONT ADÉLAÏDE POURRAIT AVOIR BESOIN.

J'AI OUBLIÉ QUELQUE CHOSE ?

NON, ALPHONSE ! TU NE PEUX PAS RESTER DANS LE LIT D'ADÉLAÏDE !

âge 0 à 3 mois

DE QUOI UN BÉBÉ A-T-IL BESOIN ?
JULIE A-T-ELLE OUBLIÉ QUELQUE CHOSE ?
QUEL NOM DONNER À UN PETIT FRÈRE OU À UNE PETITE SOEUR ?
UNE BABY-SITTER EST-ELLE INDISPENSABLE QUAND LES PARENTS SORTENT ?

NOUS SOMMES ALLÉS À L'HOPITAL EN TAXI. VOUS ALLEZ VOIR, IL Y A UN ENDROIT OÙ SONT RÉUNIS TOUS LES ENFANTS.

VOILÀ COMMENT ÇA S'EST PASSÉ. MAMAN A MIS UNE CHEMISE TRÈS COURTE, ET DE LONGUES CHAUSSETTES. LA GYNÉCOLOGUE EST VENUE ET A ÉCOUTÉ (À L'AIDE D'UN STÉTHOSCOPE) LE CŒUR DU BÉBÉ. ELLE A DIT QU'IL BATTAIT RÉGULIÈREMENT. LA GYNÉCOLOGUE EST UNE SPÉCIALISTE QUI AIDE LES MAMANS À ACCOUCHER.

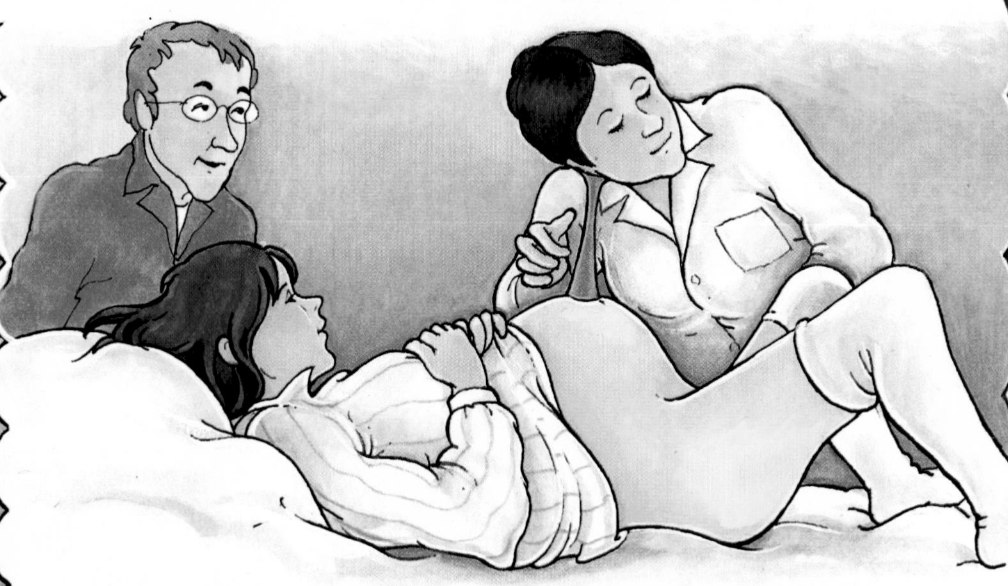

ADÉLAÏDE POUSSAIT DE TOUTES SES FORCES POUR SORTIR. LA POCHE DES EAUX S'ÉTAIT DÉJÀ ROMPUE (ON DIT QUE LA FEMME "PERD LES EAUX"). UNE FOIS LE LIQUIDE ÉVACUÉ, L'ATTENTE NE DEVAIT PLUS ÊTRE TRÈS LONGUE.

A UN CERTAIN MOMENT, LA GYNÉCOLOGUE A DIT QU'ELLE POUVAIT VOIR LA TÊTE DU BÉBÉ. J'AI JETÉ UN RAPIDE COUP D'OEIL, ET J'AI RÉUSSI À VOIR UN PETIT BOUT DE LA TÊTE D'ADÉLAÏDE. MAMAN A ALORS POUSSÉ UNE DERNIÈRE FOIS TRÈS FORT, LA GYNÉCOLOGUE L'A AIDÉE, ET PUIS... LE BÉBÉ A COMMENCÉ À SORTIR.

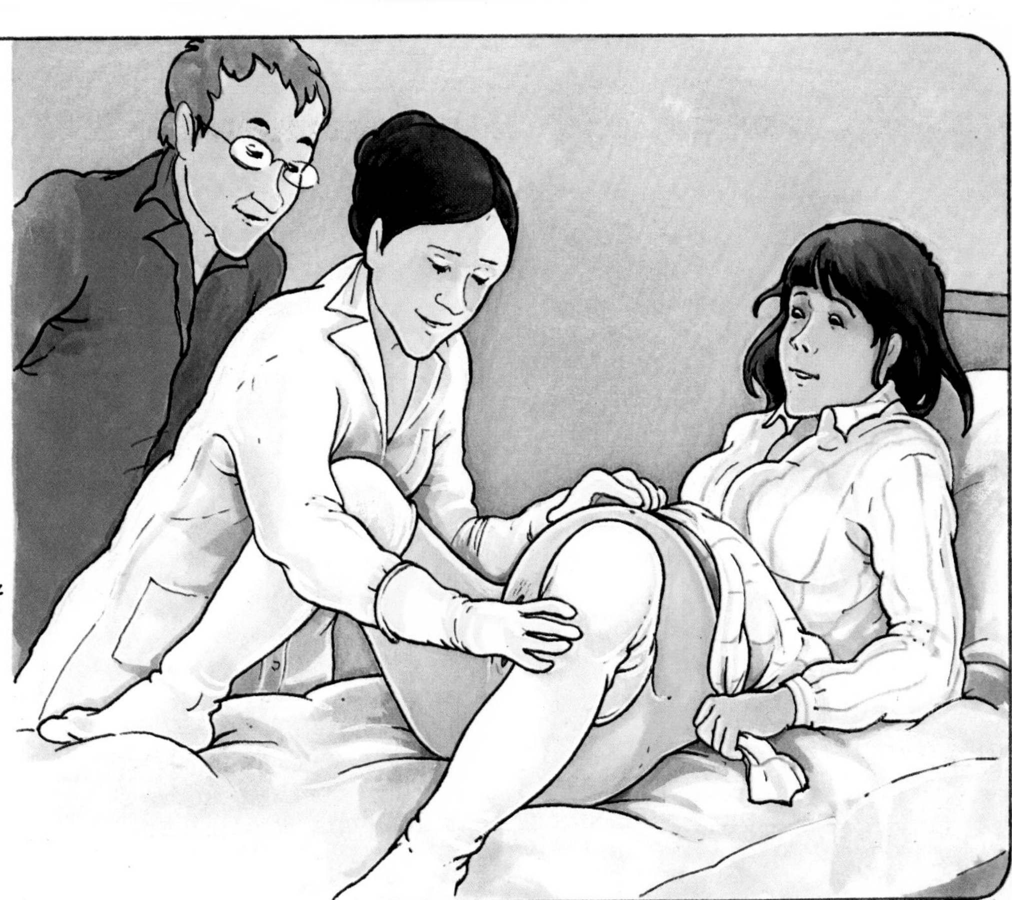

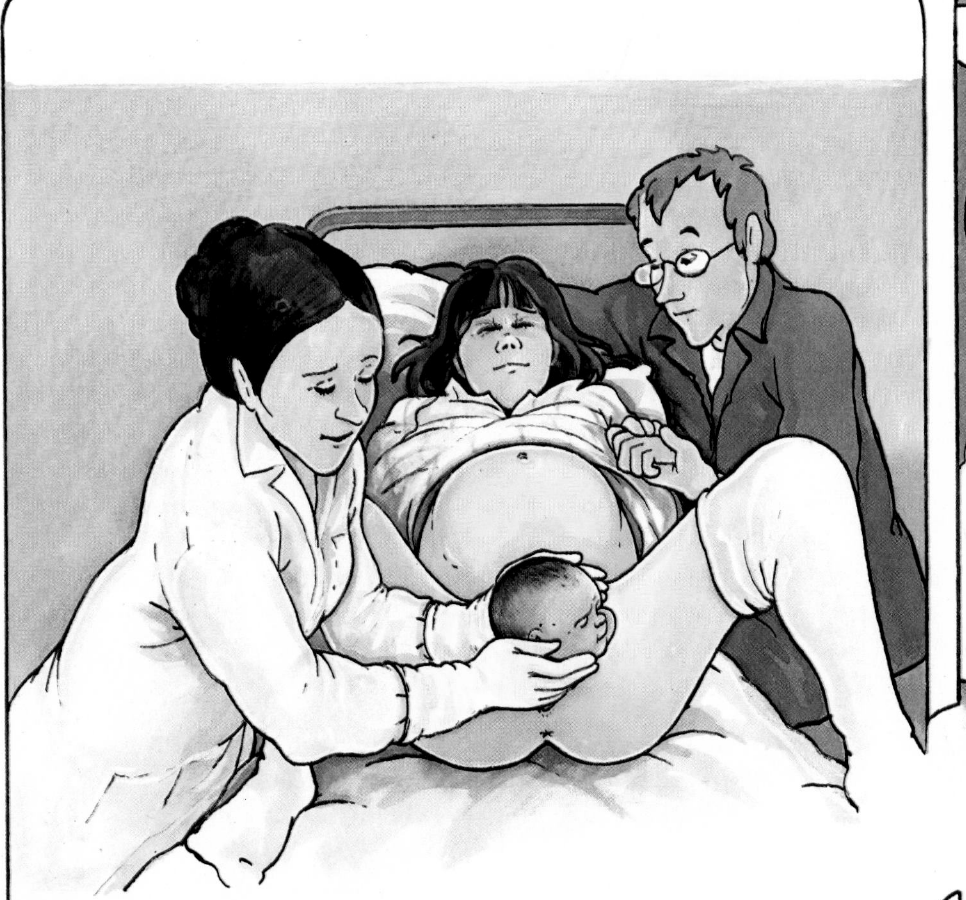

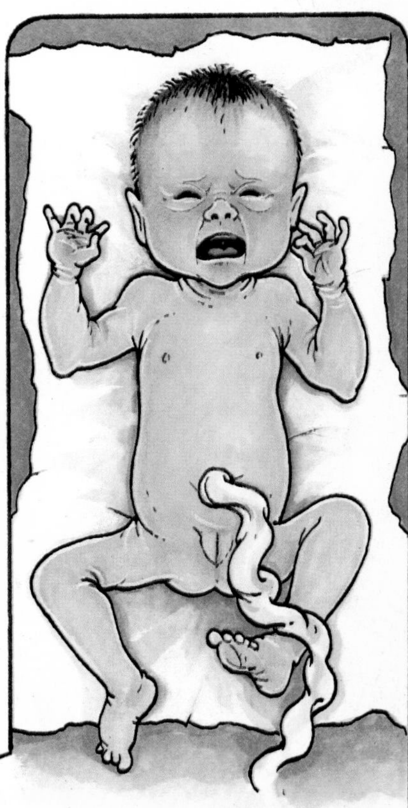

IL HURLAIT MÊME. ET C'EST LORSQU'IL FUT TOUT À FAIT SORTI QU'ON A VU QUE C'ÉTAIT UNE FILLE.

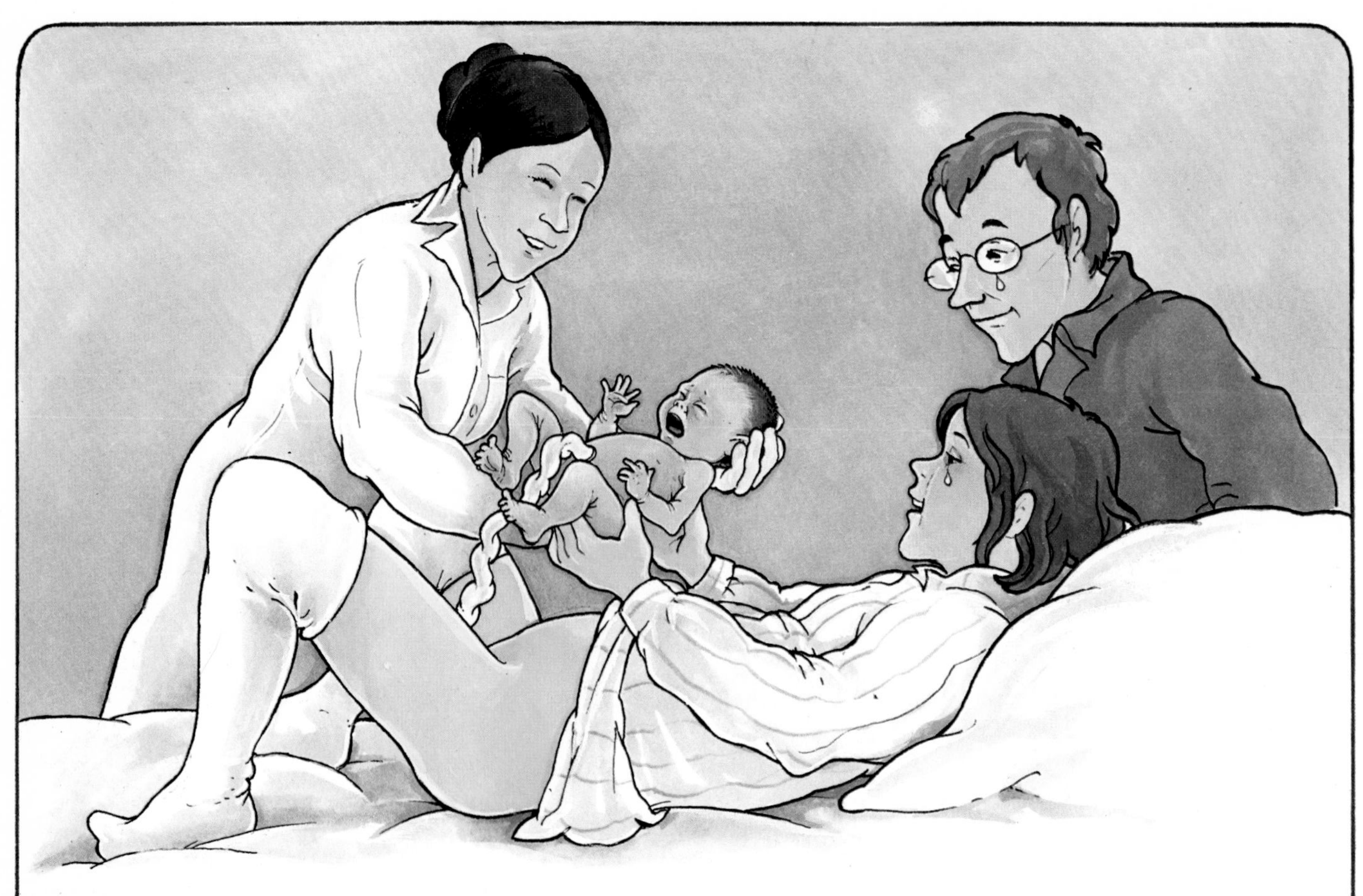
MAMAN ET MOI, NOUS ÉTIONS SI HEUREUX, ET SI ÉMUS DE LA VOIR ENFIN, APRÈS D'AUSSI LONGS MOIS !...

ON LUI A TOUT DE SUITE ATTACHÉ AU POIGNET UN PETIT BRACELET AVEC SON NOM. MAMAN AUSSI EN A REÇU UN. LA GYNÉCOLOGUE A COUPÉ LE CORDON OMBILICAL, ET A NOUÉ AVEC UN FIL SPÉCIAL, LE MORCEAU ATTACHÉ AU VENTRE D'ADÉLAÏDE. ÇA NE FAIT PAS MAL QUAND ON LE COUPE.

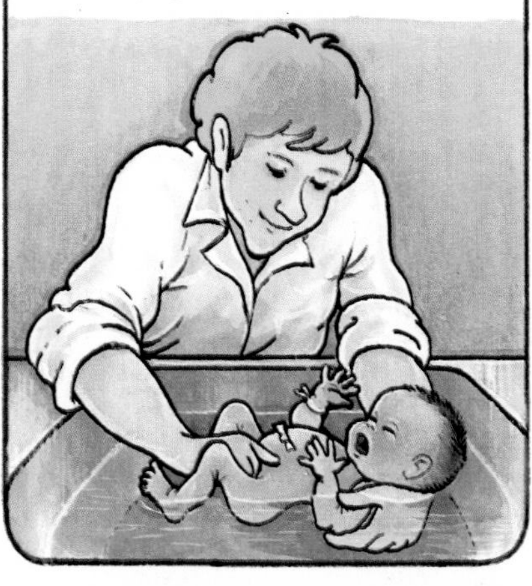
UN INFIRMIER A DONNÉ SON PREMIER BAIN À ADÉLAÏDE.

PUIS IL L'A SOIGNEUSE-MENT PESÉE.

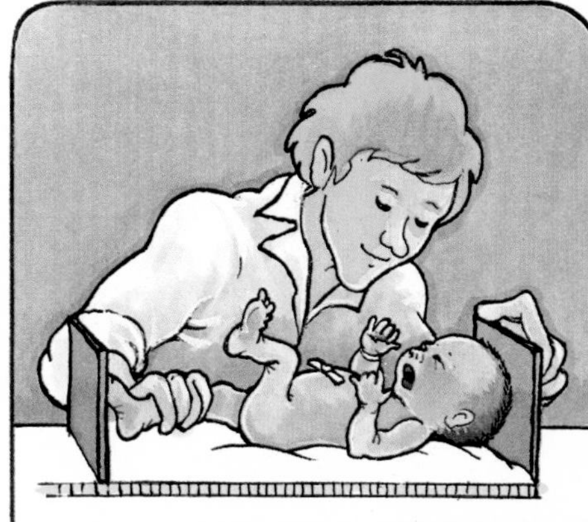
IL L'A ENSUITE MESURÉE, ET A TOUT NOTÉ DANS UN PETIT CARNET.

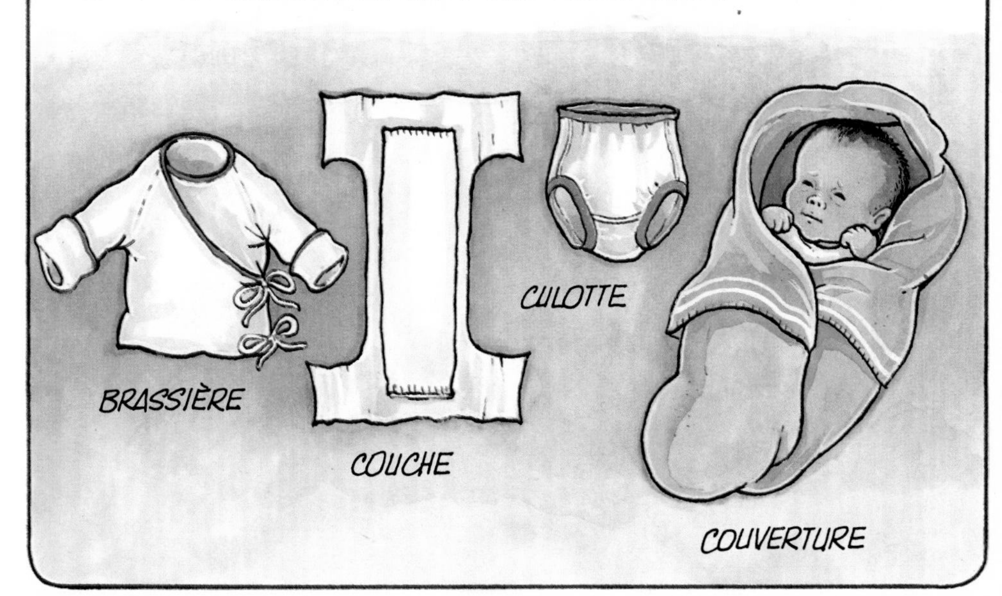
UN MÉDECIN L'A EXAMINÉE ET, FINALEMENT, ON L'A HABILLÉE : ON LUI A MIS UNE BRASSIÈRE, UNE COUCHE, UNE PETITE CULOTTE, ET ON L'A ENVELOPPÉE DANS UNE COUVERTURE.
BRASSIÈRE
COUCHE
CULOTTE
COUVERTURE

ADÉLAÏDE ÉTAIT PRÊTE POUR FAIRE UN BON PETIT SOMME.

MAMAN AUSSI A CHANGÉ DE CHEMISE. ON LUI A APPORTÉ UNE TASSE DE THÉ.
PUIS ON A INSTALLÉ ADÉLAÏDE PRÈS DE MAMAN. MOI, JE ME SUIS APPROCHÉ DOUCEMENT D'ELLES POUR REGARDER DORMIR ADÉLAÏDE. ET PUIS JE LES AI LAISSÉES ET JE SUIS VENU VOUS RETROUVER.

MAIS COMMENT ELLE A FAIT POUR SORTIR PAR UN TROU AUSSI PETIT ?
LE TROU PEUT S'ÉLARGIR, EXACTEMENT COMME UN ÉLASTIQUE. ENSUITE, IL REDEVIENT AUSSI PETIT QU'AVANT.

JEAN, PAPA ET JULIE REGARDENT UNE SÉRIE DE VIEILLES PHOTOGRAPHIES. VOUS AIMEZ, VOUS AUSSI, RECEVOIR D'ANCIENNES PHOTOS DE FAMILLE ?

POSSÈDES-TU UNE PHOTO DE TOI QUAND TU VENAIS JUSTE DE NAÎTRE ?
AS-TU TROUVÉ UNE PHOTO DE TES PARENTS QUAND ILS ÉTAIENT PETITS ?
COMMENT ÉTAIENT-ILS HABILLÉS ? LEURS VÊTEMENTS RESSEMBLAIENT-ILS À CEUX QU'ON PORTE AUJOURD'HUI ?

Nous allons voir Adélaïde ?

OH, C'EST MIGNON ! MERCI, MA CHÉRIE !
COMMENT ÇA VA-T-IL, À LA MAISON ?
TRÈS BIEN, JE CROIS !
MAIS OÙ EST ADÉLAÏDE ?

JEAN, JULIE ET PAPA JETTENT UN COUP D'OEIL DANS LA NURSERY.
DANS CET HÔPITAL (COMME DANS BEAUCOUP D'AUTRES), TOUS LES NOUVEAU-NÉS DORMENT DANS UNE CHAMBRE SPÉCIALE. DANS CERTAINS HÔPITAUX, CEPENDANT, LES ENFANTS DORMENT PRÈS DE LEUR MAMAN.

ET VOILÀ L'INFIRMIÈRE AVEC ADÉLAÏDE.
CE QU'ELLE EST PETITE !

AU REVOIR, MAMAN. À BIENTÔT !

AS-TU DÉJÀ VU UN NOUVEAU-NÉ ? OU UN ANIMAL QUI VIENT DE NAÎTRE ?

Adélaïde arrive à la maison

Ouâ !! Ouâ !!!
ELLE PLEURE LA NUIT.

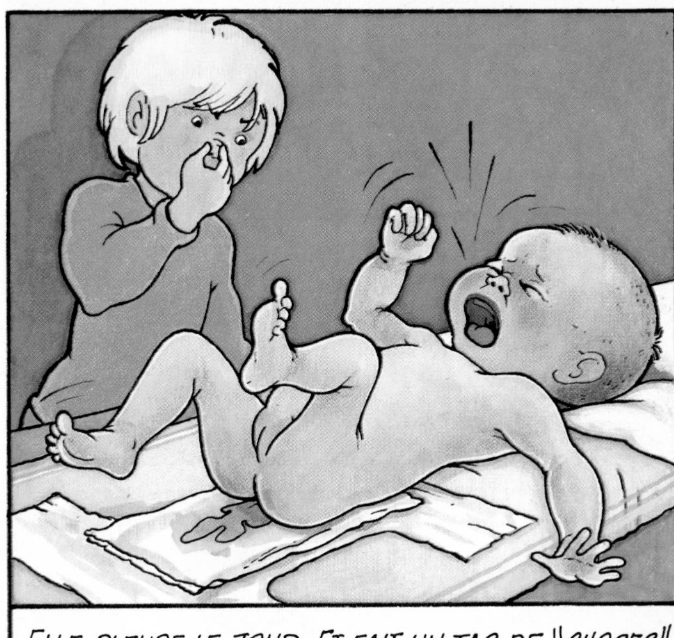
ELLE PLEURE LE JOUR. ET FAIT UN TAS DE "CHOSES" QUI SENTENT TRÈS MAUVAIS.

CERTAINS JOURS, LA FAMILLE ENTIÈRE TOMBE DE SOMMEIL.
QUE VA DIRE LA MAÎTRESSE ?
NE T'INQUIÈTE PAS, J'ÉCRIRAI UN MOT D'EXCUSE...

ADÉLAÏDE ACCAPARE L'ATTENTION, ET REÇOIT UNE MASSE DE CADEAUX.

LÂCHE-LE, JEAN !
MIAOOU!
TU N'ES QU'UN CRÉTIN !
AH!!
MAMAN !!!
JULIE M'A TIRÉ LES CHEVEUX... !!!

SOYEZ GENTILS, FAITES LA PAIX !
TU N'AS RIEN COMPRIS, MAMAN !

MAIS BON SANG, QU'EST-CE QUI SE PASSE ICI ?
AAA !
JULIE M'A TIRÉ LES CHEVEUX !
C'EST LUI QUI A COMMENCÉ !

J'AI EU UNE JOURNÉE INFERNALE AU BUREAU. TÂCHEZ D'ÊTRE UN PEU CALMES !
MOI AUSSI, J'AI EU UNE JOURNÉE INFERNALE ! VOILA TA FILLE. OCCUPE-T-EN UN PEU !
AAAAA !

UNE HEURE PLUS TARD...
UN GÂTEAU POUR VOUS !
MAMAN, QU'EST-CE QU'IL Y A DANS LA BOÎTE ?

POURQUOI ELLE HURLE TOUT LE TEMPS ?
PEUT-ÊTRE A-T-ELLE UN PEU MAL AU VENTRE, OU ALORS VEUT-ELLE SIMPLEMENT SE FAIRE CAJOLER...
LE THÉ EST PRÊT !
C'EST UN GÂTEAU AU CHOCOLAT ?

ELLE PEUT MANGER DU GÂTEAU, ADÉLAÏDE ?
MAIS NON, JEAN ! ELLE N'A PAS ENCORE DE DENTS ! NE T'INQUIÈTE PAS : JE VAIS LUI DONNER À MANGER DANS UN INSTANT.
RON RON...
JEAN HURLAIT COMME ADÉLAÏDE, QUAND IL ÉTAIT PETIT ?
OH OUI ! ET TOI AUSSI ! VOUS ÉTIEZ DES BÉBÉS HURLEURS ! C'ÉTAIT ÉPOUVANTABLE !

Les emplettes avec Adélaïde

ADÉLAÏDE GRANDIT TRÈS VITE MAIS CONTINUE DE HURLER !
REGARDE, ADÉLAIDE : C'EST UN GENTIL BÉBÉ, PAS UNE PESTE COMME TOI !
UN BÉBÉ PROPRE EST UN BÉBÉ HEUREUX !
OUAA !
OH JEAN, LAISSE-LA TRANQUILLE ! ADÉLAÏDE EST LA PLUS BELLE ET LA PLUS GENTILLE PETITE SOEUR DU MONDE. NE L'EMBÊTE PAS !

Imprimé en Belgique par Casterman, s.a., Tournai, janvier 1985. N° édit.-impr. 1670.
Dépôt légal : avril 1985 ; D. 1985/0053/74.
Déposé au Ministère de la Justice, Paris (loi n° 49.956 du 16 juillet 1949 sur les publications destinées à la jeunesse).